GUIBERT   SFAR
Dessin   Scénario

La fille du professeur

expresso
DUPUIS

Maquette : Didier Gonord.

D.2003/0089/180 — R.2/2006.
ISBN 2-8001-3454-2
© Dupuis, 1997.
Tous droits réservés.
Imprimé en Belgique par Proost/Fleurus.

www.dupuis.com

J'ai l'impression que les gens nous regardent.

C'est parce que vous êtes jolie.

Mais vous pleurez!

Ce n'est rien. C'est la musique.

Vous savez, votre père ne me laisse guère de liberté non plus. C'est la première fois que je sors sans escorte armée.

Il dit que vous êtes précieux.

Il dit cela de vous aussi.

Mais il m'étouffe. J'ai parfois l'impression d'être sa chose, une de ces antiquités qu'il va chercher aux quatre coins du monde.

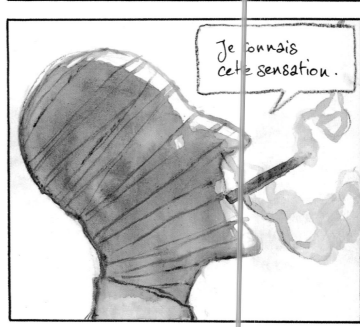

Je connais cette sensation.

5

Pardonnez-moi, Liliane...

?

Mon enveloppe charnelle a été si longtemps privée de tout qu'elle s'enivre d'un rien.

Je vous suis très reconnaissant pour cette merveilleuse sortie.

Je m'en souviendrai toute ma vie, dussé-je vivre trois mille ans de plus.

Ho ! Mam'selle, vous dormez ? Ça y est, on est arrivé. C'est trois pence.

Et ne m'aidez pas, surtout, RUSTRE !

Nous avons de la chance.

Daddy n'est pas encore rentré.

Quand il arrivera, je dirai que c'est la gouvernante qui a servi du thé.

Elle ne comprend rien, de toute façon, cette vieille toupie.

Bizarre, tout de même, ce retard, Papa. Ah, mais vous êtes mignon, monsieur, lorsque vous dormez, vous n'avez plus vos grands airs, ça non et vous êtes à moi...

ding.

Papa ? Non, il ne sonnerait pas.

On ne la voit plus.

Qui c'est la dame ?

Elle vient du futur.

En bateau ?

Non. En fait, c'est moi qui ai voyagé. En dormant longtemps.

Ne trouves-tu pas qu'elle ressemble à Maman ?

Oui.

Elle lui ressemble beaucoup.

Et tu vas l'épouser ?

Je ne sais pas. Peut-être que son père ne sera pas d'accord.

Pourquoi, Papa ?

13

Le soir même, sur les docks.

Payez-les, Liliane. Ce sont des hommes rudes, des marins, mais je les crois honnêtes.

Ah oui ?

Ils ont reconnu en moi un de leurs anciens Rois. Ils viennent d'Égypte, comprenez-vous ? Ils ne me trahiront pas.

clops

Lâchez-moi, vous me faites mal !

Oui, lâchez-la.

Je suis Liliane BOWELL. Mon père est très puissant, j'exige des explications.

Miss Bowell, la fille du plus grand archéologue anglais ?

Elle-même.

C'est une coïncidence. Votre père ne m'est pas inconnu. Il a fait des fouilles à Assouan, n'est-ce pas ?

Etes-vous un chercheur ?

Pas exactement, mais nos routes se sont croisées. J'ignorais d'ailleurs qu'il avait survécu.

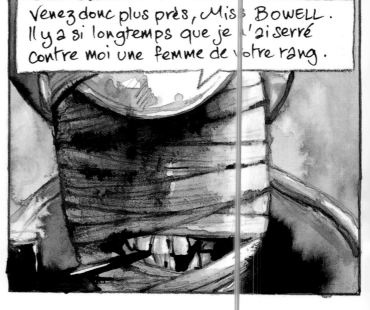

Venez donc plus près, Miss BOWELL. Il y a si longtemps que je n'ai serré contre moi une femme de votre rang.

20

21

Scotland Yard, commissariat central.

Alors, professeur ?

Je ne sais pas, moi... Qu'est-ce que vous voulez que je vous dise ?

Il va falloir toutes les examiner.

Ils sont partis ?

Oui, vous pouvez sortir.

Bartholomew Rodgers, antiquaire.

Imhotep, Prince d'Egypte. Je vous remercie beaucoup.

C'est la première fois qu'un objet aussi cher entre dans ma boutique.

Le plaisir est pour moi.

Vous êtes en parfait état de conservation et vous me semblez authentique. Bravo !

Oui, vous aussi, vous m'avez l'air d'un individu vif et intègre.

Pensez-vous qu'il vous reste beaucoup de temps à vivre ? En l'état, vous n'êtes pas dans mes moyens, mais peut-être qu'un viager...

Hmm... Je sens une vieille odeur...

Une odeur venue d'outre-tombe, un mélange de cédrat et de sauterelles grillées ...

24

Vous ne m'aviez pas dit que vous vouliez aller en Egypte ! Pour quoi faire ?

Sauver la femme que j'aime et régler une vieille affaire de famille.

J'espère que ce n'est pas trop pressé, parce que le dernier bateau pour l'Egypte a appareillé la nuit dernière et il n'y en aura pas d'autre avant un mois.

Allons, rentrons. Voilà la pluie.

Ne restez pas là, on pourrait vous voir !

Qu'est. ce que je vais faire ?

Dormir. Et prendre le bateau quand il viendra.

Pourquoi Maman n'est-elle plus avec nous ?

Parce qu'elle n'a pas été embaumée comme une Reine.

Votre mère n'était pas égyptienne, vous comprenez? C'était une esclave.

Mais père, tu es le Roi ! Ne pouvais-tu pas imposer ta volonté ?

Sauvez-vous !

Vous rêviez ?

Quittez ma cabine ! Vous n'avez pas tous les droits !

J'amenais juste une couverture. Vous avez tort de penser que je vous veux du mal.

Je ne cherche qu'à me faire aimer de vous.

Aucune femme n'aimerait un être au visage couvert de goudron et de vieux bandages.

Je peux enlever tout ça, si vous le souhaitez. Mes chairs sont bien conservées.

C'est inutile. Sortez, je vous prie.

J'ai bien aimé cogner l'autre, sur le port.

A cause des bandelettes ? Ça te donnait l'impression de démolir le capitaine !

Ouais ! HAHAHA !

Ça, tu vois, c'est signe que le capitaine, si on voulait, on pourrait le crever comme n'importe qui.

T'as raison !

Excusez-moi. Non, je ne peux pas manger. Je suis comme une écorce vide, vous comprenez ? Je n'ai plus de tube digestif.

Vous avez tort, c'est bon !

Si vous vouliez malgré tout m'en servir une louche, je pourrais la renifler. Je suis très sensible aux odeurs.

Un instant, il me semble qu'on a frappé.

Oui ?

On m'a dit qu'une momie logeait chez vous.

Vous êtes de la police ?

J'en ai l'air ?

IMHOTEP !

Vous êtes trempé, Père, montez près du feu.

Eh bien quoi? Après trois mille ans, c'est tout ce que tu as à me dire?

Je n'ai rien à vous dire, Père.

Ah, si. Voilà Liliane, je vais l'épouser. Et que vous vous y opposiez ou non, je m'en fiche cette fois-ci.

Liliane...

Elle lui ressemble tellement.

Laissez-moi, Imhotep. Vous... me faites peur.

31

Je crois que je voudrais rentrer chez moi. J'en ai assez de tout ça.

Je ne comprends pas.

Et voilà le thé !

Liliane !

Arrête ! N'as-tu donc aucune dignité ? Oublies-tu que c'est le feu du soleil qui coule dans tes veines ?

Ne me donnez pas d'ordres, Père. Tout est de votre faute.

Est-ce ma faute si elle refuse d'épouser un mort ?

Retire les bandes qui protègent ton crâne et sens comme ton visage est rugueux ! Une femme qui t'embrasserait ne récolterait que des écorchures !

Ça se bagarre là-haut, hein ?

Je suis la Reine des idiotes.

Allons, moi aussi je suis sensible au charme de ces Orientaux, mais il faut redescendre sur terre, vous n'êtes pas du même monde.

Ce n'est pas ça, vous n'avez pas compris. Il ne le sait pas lui-même mais il ne m'aime pas vraiment.

Il m'utilise pour retrouver des choses perdues, c'est tout.

Que voulez-vous dire ?

Qu'il m'aime parce que je ressemble à une morte.

Son père m'a tout expliqué : sa femme n'a pas été embaumée, il ne pourra jamais la retrouver et il reporte toute son affection sur moi. Mais je ne veux pas entrer dans sa névrose, vous comprenez ?

Vous devriez lui parler.

Vous trouverez mieux les mots. Je dois partir.

Officier ?

Hm ?

Ne cherchez plus de momie. C'est moi qui suis responsable du double empoisonnement de Narrow road.

Professeur ?

Oui.

Etes-vous certain de nous avoir tout dit au sujet de cette affaire ?

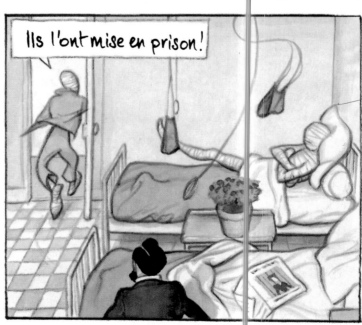

37

Je crains que ce que vous me demandez ne soit impossible, cher monsieur.

JACK ANDREW
BARRISTER
AT LAW

Mon travail consiste à faire sortir les gens de prison. Si je me mettais à les faire arrêter, j'y perdrais ma clientèle.

Je vois.

Si vous ne voulez pas me faire accuser, faites au moins libérer Liliane Bowell.

Ça, c'est dans mes cordes.

Au vu du dossier et compte tenu de la fâcheuse présence d'un policier parmi les victimes, je pense qu'une bonne plaidoirie peut lui éviter la peine de mort.

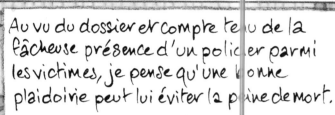

On peut raisonnablement tabler sur une peine de vingt ans de prison. Si elle se tient tranquille, elle sortira dans dix ans.

Sinon, on peut plaider non coupable, bien sûr, mais là, c'est quitte ou double.

Quelques semaines plus tard .

41

J'aimerais que vous considériez que les vrais coupables ne sont pas dans le box des accusés aujourd'hui.

Les seuls coupables dans cette affaire, Messieurs, se nomment amour et précipitation.

C'est l'amour qui a poussé le Pharaon Imhotep IV à traverser les siècles pour s'en prendre au mur ouest du commissariat central et c'est la précipitation qui a amené Miss Bowell à confondre de l'arsenic et de la camomille.

Car je vous rappelle que le poison a été retrouvé dans une vulgaire fiole de pharmacie semblable à celle-ci. Et qui a rempli cette fiole, qui? Je vous le demande, Messieurs les jurés ...

C'est moi.

Quelle est la raison de cette interruption?

Il me semble que le père de l'accusée tient à s'exprimer, Votre Honneur.

J'écris en ce moment un traité des poisons et mes échantillons traînent un peu partout. Ma fille l'ignorait !

Je proteste, Votre Honneur !

La parole est au Ministère public.

Le professeur Bowell tente d'user de sa notoriété pour infléchir les décisions de la Cour. Permettez-moi de faire lecture du jugement rendu le 2 juin 1873 par le tribunal de Glasgow.

Rappelez juste les faits.

Les faits sont simples. Une employée de maison a servi à ses maîtres un lait frelaté et ils sont morts. On a prouvé qu'elle ignorait la nocivité du produit. Néanmoins, l'accusée a été pendue.

Je ne veux pas que la justice du Royaume condamne les pauvres et acquitte les riches, Votre Honneur. Si ce procès est un exemple, que ce soit un exemple de fermeté et non d'indulgence de classe.

C'est pourquoi, nonobstant la larmoyante intervention du professeur Bowell, je maintiens mes conclusions et réclame la mort pour Miss Bowell et le Musée pour son comparse.

Les accusés ont-ils un dernier mot à ajouter?

Oui.

Je refuse le jugement de ce tribunal.

Je suis, ou du moins j'étais, Roi d'un pays dont la puissance n'a rien à envier au vôtre et cela, personne ici ne peut le contester.

Il est hors de question, aucun protocole ne le permettrait, il est hors de question qu'une assemblée de scribes subalternes décide de mon sort. J'ai enfreint vos lois et j'accepte d'être châtié...

Mais si je dois être jugé, que ce soit par la Reine.

45

Quant aux petits courants d'air que je vous dois, ils ne feront souffrir que mon tailleur.

Si vous voulez arriver à temps à l'hôpital, il va falloir m'écouter.

J'ai bien réfléchi. La seule personne qui puisse gracier mon fils, c'est la Reine. Il faut que vous m'obteniez une audience.

Votre fils vient de faire la même requête au tribunal.

Il n'est pas de taille. C'est moi qui dois la voir.

Voici comment je vois les choses : je rencontre la Reine, je la séduis, je l'épouse et j'obtiens la grâce de nos enfants. Qu'en pensez-vous ?

H....hh

Bartholomew ! Filez à l'hôpital, je crois qu'il est en train de clamser !

46

Bowell ! Hé Bowell ! Vous êtes avec nous ?

Cessez donc de le secouer, il saigne ! Nous serons à l'hôpital dans un instant.

Non, j'ai une meilleure idée. Emmenez-nous à Buckingham Palace.

Avec le blessé ?

Oui. Le professeur va nous aider à rencontrer la Reine.

A Buckingham.

Le prince de Moldavie est blessé. Il ne se laissera examiner que par le médecin personnel de la Reine. Laissez-nous entrer.

Ça ne marchera jamais.

49

À la Tour de Londres.

Cet ajournement du procès augure bien de la suite, Liliane.

Je vais obtenir de voir la Reine et je lui parlerai comme j'ai parlé au tribunal. Vous serez graciée.

Hein ? Vous serez graciée, je vous le promets.

Papa...

Votre papa, vous le reverrez bientôt.

Comme il doit souffrir en ce moment.

Écoutez, Liliane, nos pères ne nous ont guère porté chance jusqu'ici. Alors, nous allons nous tirer tout seuls de cette mauvaise passe et nous penserons à eux plus tard.

Lui qui déteste le scandale.

Vous savez, depuis que nous nous connaissons et jusqu'à aujourd'hui, j'ai été mal ... mal réveillé, disons. Mais cet après-midi, au tribunal, je me suis senti beaucoup mieux.

Je me suis senti moi-même, pleinement moi-même, pour la première fois depuis trois mille deux cents ans.

Vous me comprenez, Liliane ?

Euh ... Excusez-moi, non, je n'écoutais pas.

Ah bon.

Je pensais à notre promenade au parc, le jour où je vous ai sorti de votre sarcophage.

Je n'aime que vous.